D0854207

L'abécédaire abracadabrant

Texte de
Muriel Comeau
Carole Filion
Jeanne d'Arc Martin

Illustrations de
Bruno St-Aubin

L'abécédaire abracadabrant
a été publié sous la direction
de **Jennifer Tremblay**

CONCEPTION GRAPHIQUE
Folio infographie

IMPRESSION
Marquis Imprimeur

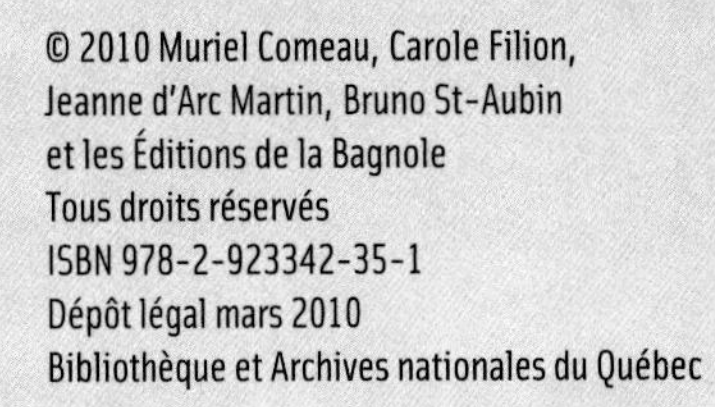

ISBN 978-2-923342-35-1
Dépôt légal mars 2010
Bibliothèque et Archives nationales du Québec

LES ÉDITIONS DE LA BAGNOLE
Case postale 88090
Longueuil (Québec) J4H 4C8
leseditionsdelabagnole.com

Les Éditions de la Bagnole reconnaissent l'aide financière du gouvernement du Canada par l'entremise du Programme d'aide au développement de l'industrie de l'édition (PADIÉ) pour leurs activités d'édition. Les Éditions de la Bagnole remercient de leur soutien financier le Conseil des Arts du Canada et la Société de développement des entreprises culturelles du Québec (SODEC). Les Éditions de la Bagnole bénéficient du Programme de crédit d'impôt pour l'édition de livres du gouvernement du Québec, géré par la SODEC.

Merci à Michel Therrien pour sa précieuse collaboration.

 Imprimé au Québec

Pour nos petits zouzous d'amour

Carole
Jeanne d'Arc
Muriel

Dans les histoires,
il y a…

Dans les histoires, il y a des **aventures**.

Aventures abracadabrantes
Aventures amoureuses
Aventures abominables
Aventures affolantes
Aventures archi-folles

Archi...
archi...
archi...

folles

Nn Oo Pp Qq Rr Ss Tt Uu Vv Ww Xx Yy Zz

Ah! Ah! Ah!

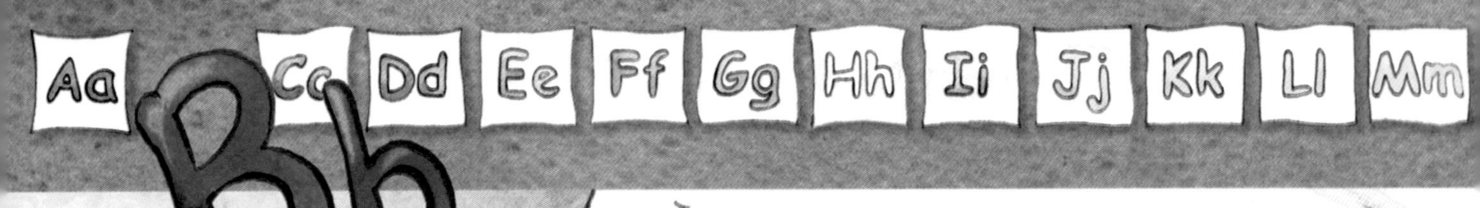

Dans les histoires, il y a des **bouffons**.

Bouche en cœur
Bouche en fleur
Bouche cousue
Bouche tordue
Blablabla...

Boutons de travers
Bottines à l'envers
Boubou... Bouboule
Bouboule déboule...

Nn
Oo
Pp
Qq
Ss
Tt
Beding Bedang!

Dans les histoires, il y a des **chevaliers**.

Un chevalier sans cotte de maille,
Ça ne va pas.
Un chevalier sans cuirasse,
Ça ne va pas.
Un chevalier sans cuissards,
Ça ne va pas.
Un chevalier sans coups d'épée,
Ça ne va pas.
Un chevalier sans cheval,
Ça ne va pas.
Un chevalier avec tout ça,
Ça va comme ça !

Nn Oo Pp Qq Ss Tt Uu Vv Ww Xx Yy Zz
...Cla! Clo! Cla! Clo!...

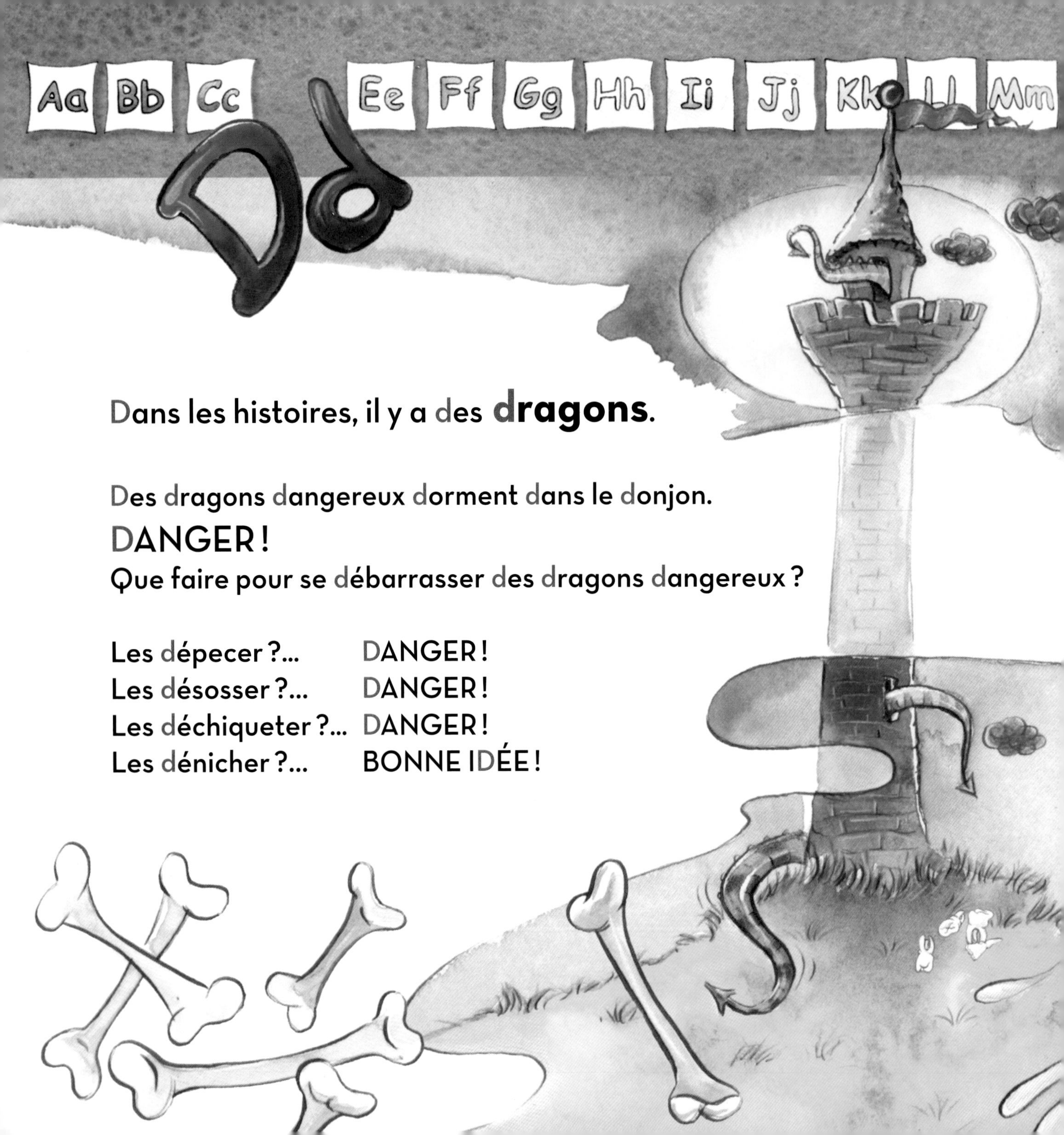

Dans les histoires, il y a des **dragons**.

Des dragons dangereux dorment dans le donjon.

DANGER !

Que faire pour se débarrasser des dragons dangereux ?

Les dépecer ?... DANGER !
Les désosser ?... DANGER !
Les déchiqueter ?... DANGER !
Les dénicher ?... BONNE IDÉE !

Nn Oo Pp Qq Rr Ss Tt Uu Vv Ww Xx Yy Zz

Dehors dragons !

Dans les histoires, il y a des **entourloupettes**.

Écus d'or éparpillés
Élixir ensorcelé
Échelle envolée
Éclair au chocolat écrabouillé

Encore et encore des entourloupettes...

Espadrilles ensablées
Édredon éventré
Écolier éclaboussé
Écharpe enroulée... enroulée... enroulée...

Oo
Rr
Ss
Tt
Uu
Vv
Ww
Xx
Yy
Zz
Encore et encore...

Dans les histoires, il y a la **forêt**.

Ffrrr, ffrrr, ffrrr, ffrrr, ffrrr, ffrrr...

Flll, flll, flll, flll, flll, flll...

Flitt, flitt, flitt...

Fsch, fsch, fsch, fsch, fsch, fsch...

Flap, flap, flap...

Ffftt !

Nn Oo Pp Qq Rr Ss Tt Uu Vv Ww Xx Yy Zz

froum froum froum...

Dans les histoires, il y a des **géants** et des **géantes**.

Gros, gros, gros,
Grands, grands, grands,
Bien plus gros,
Bien plus grands...

Grosses, grosses, grosses,
Grandes, grandes, grandes,
Bien plus grosses,
Bien plus grandes
Que les grands-papas et les grands-mamans.

Grrrrrrrr...

Dans les histoires, il y a **l'hiver**.

L'hiver, Hippolyte est blanc
De la tête aux pieds.
L'hiver, Hippolyte est froid
De la tête aux pieds.
L'hiver, Hippolyte est rond
De la tête aux pieds.

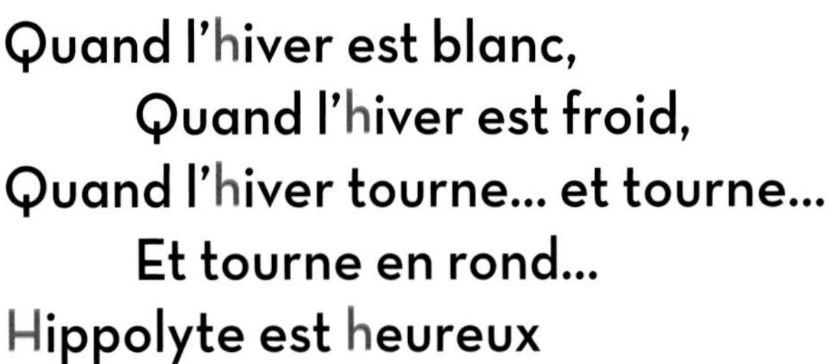

Quand l'hiver est blanc,
Quand l'hiver est froid,
Quand l'hiver tourne... et tourne...
Et tourne en rond...
Hippolyte est heureux
De la tête aux pieds.

Nn Oo Pp Qq Rr Ss Tt Uu Vv Ww Xx Yy Zz
Hola Hipla Holala !!!...

Dans les histoires, il y a des **îles**.

Il était une fois une île
Immensément grande,
Incroyablement belle,
Intensément calme.

Sur cette île, des inséparables
IN... SÉ... PA... RA... BLES,
IM... MO... BI... LES et
IM... PA... TIENTS
Couvaient une nichée INSOLITE...

Nn Oo Pp Qq Rr Ss Tt Uu Vv Ww Xx Yy Zz

Imagine!

Dans les histoires, il y a **Jeannot Lapin**.

Jour après jour,
Jeannot Lapin grignote dans le jardin.
Jujubes de carottes,
Jujubes de céleri,
Jujubes de radis...

« JAMAIS DE LA VIE ! dit Jeannot Lapin.
Jour après jour, je grignote des bottes
de carottes, des pieds de céleri,
des feuilles de radis. »

Nn Oo Pp Qq Rr Ss Uu Xx Yy Zz
Jrroujrrou...

Dans les histoires, il y a des **koukoulous**.

Des kouloukous,

Des koulouzous,

Des kouzoulous,

Des koukoulouzoukous,

Qui nous rendent koukoulouzoufous.

Nn Oo Pp Qq Rr Ss Tt Uu Vv Ww Xx Yy Zz
Koukoukoukoukou!

Dans les histoires, il y a des **loups**.

Si le loup invite la poule à casser la croûte,
La poule pourrait bien se faire croquer...

Si le loup invite le cochon à casser la croûte,
Le cochon pourrait bien se faire croquer...

Si le loup invite l'agneau à casser la croûte,
L'agneau pourrait bien se faire croquer...

Si le loup invite le loupiot à casser la croûte,
Le loupiot pourrait lui aussi se retrouver
dans la gueule du loup.

Nn Oo Pp Qq Rr Ss Tt Uu Vv Ww Xx Yy Zz
TOC!
Loupiot... Gare au loup!

Dans les histoires, il y a des **mots**.

Sans les mots, PAS D'HISTOIRE !
Pas même une toute petite histoire.

Magie
Mimi
Mitaine
Marraine
Merlin
Martin
Monstre
Marmite
Miam ! Miam ! Miam !

Moustacheminoumoustacheminoumoustacheminou
Moustacheminoumoustacheminoumoustacheminou

Nn Oo Pp Qq r Ss Tt Uu Vv Ww Xx Yy Zz
Miaou! Miaou!

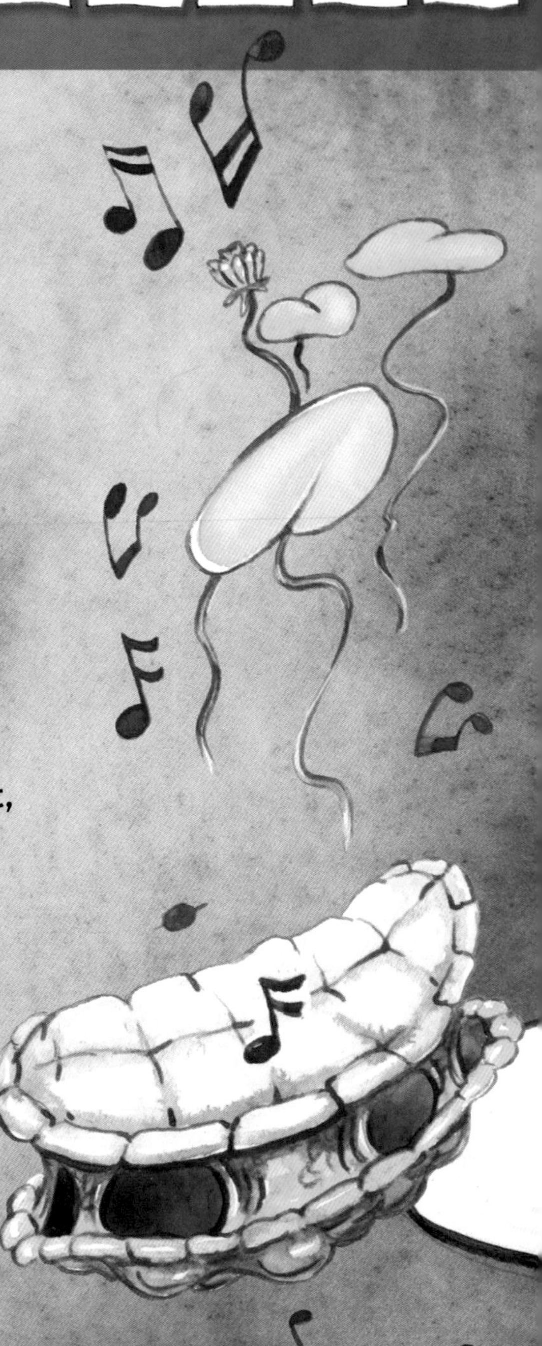

Dans les histoires, il y a la **nuit**.

La nuit n'a pas sommeil.
Nuit après nuit,
La nuit tambourine sous le lit...

La nuit n'a pas sommeil.
Nuit après nuit, après nuit,
La nuit tambourine sous le lit...

La nuit n'a pas sommeil.
Nuit après nuit, après nuit, après nuit,
La nuit nous ennuie...

Nuit après nuit, après...
Non, la nuit ! Ça suffit !

Bonne nuit!

Dans les histoires, il y a des **ours**.

Papa ours aime maman ours
Maman ours aime papi ours
Papi ours aime mamie ours
Mamie ours aime tatie ours
Tatie ours aime tonton ours

Tonton ours, tatie ours, mamie ours, papi ours, maman ours et papa ours aiment tous bébé ours.

Nn
Oo
Pp
Qq
Rr
Ss
Tt
Uu
Vv
Ww
Xx
Yy
Zz
Bip!
Bip!
Bip!
Bip!
Bip!
Bip!
Bip!
Bip!
Bip!
Bip!
Bip!
Bip!
Bip!
Bip!
Bip!
Bip!
Ouf!

Dans les histoires, il y a des **pirates**.

Pépé le pirate cherche partout... partout...

« PARBLEU !
Pas mon parasol !
Pas ma pipe !
Pas ma poule !
Pas ma puce !
Pas mon parapluie !
Pas mes pépites d'or !
Pas mon perroquet !

PARBLEU !
Le voilà mon pistolet ! »

Nn
Oo
Qq
Rr
Ss
Tt
Uu
Vv
Ww
Xx
Yy
Zz
Pp
P
PAN!
Pan! Pan!

Dans les histoires, il y a des **quiquequoi**.

Qui va là ?
Quelqu'un...
Que cache-t-il ?
Quelque chose...

Quelqu'un cache quelque chose quelque part...

Quoi ? Quoi ?
Que cache-t-il ?

Queue de lion ? Queue de dindon ?
Queue de castor ? Queue de renard ?
Queue de rat ? Queue de boa ?...

Nn
Oo
Pp
Qq
Rr
Ss
Tt
Uu
Vv
Ww
Xx
Yy
Zz
Quic..?.. Quic..?..

Dans les histoires, il y a des **rois** et des **reines**.

Les rois et les reines font la ribouldingue.

Une rigolade... un rigodon
Une ritournelle... un rigodon
Un roudoudou... un rigodon
Une roucoulade... un rigodon
Un rigodon... un roupillon

Nn
Oo
Pp
Qq
Rr
Ss
Tt
Uu
Vv
Ww
Xx
Yy
Zz
Rrrrrr! Rrrrr!

Dans les histoires, il y a des **secrets**.

Sraignée
Srenouille
Sipère
Sézard
Souleuvre
Sibou
Srapaud
Sourmi

SSSSSSSSSSSSSSSSSSSSSSSSSSSS

Nn Oo Pp Qq Rr
Ss
Tt Uu Vv Ww Xx Yy Zz
Secret de Sorcière...

Dans les histoires, il y a le **Tic ! Tac ! Tic ! Tac !**

Tic ! Tac ! Tic ! Tac !
Tout de suite !

Tic ! Tac ! Tic ! Tac !
Trop tôt !

Tic ! Tac ! Tic ! Tac !
Trop tard !

Tic ! Tac ! Tic ! Tac !
Tant pis !

Nn Oo Pp Qq Rr Ss Tt Uu Vv Ww Xx Yy Zz
Tic! Tac! Tic! Tac!

Dans les histoires, il y a une **usine unique**.

Dans une usine unique,
Un lutin joyeux tape... tap tap tap...
Vu ! Disparu !

Un lutin joyeux coupe... crou crou...
Vu ! Disparu !

Un lutin joyeux roule... peutt peutt...
Vu ! Disparu !

Dans une usine unique
Un millier de lutins joyeux

tap... tap... crou... crou... peutt peutt...

Nn
Oo
Qq
Rr
Ss
Tt
Uu
Vv
Ww
Xx
Yy
Zz
Usine unique!

Dans les histoires, il y a un **vieillard**.

Un vieux monsieur ventru,
Vêtu de velours,
Vole de ville en village...
Un vieux monsieur ventru
Vole... et va exaucer des vœux.

Vite ! Vite !

Nn Oo Pp Qq s Tt Uu Ww Xx Yy Zz
Vv
Vite au lit!

Aa Bb Cc Dd Ee Ff Gg Hh Ii Jj Kk Ll Mm

Dans les histoires, il y a des **Wouf ! Wouf !**

Wouf ! Wouf ! dit le whippet
Si ! Si !

Wouf ! Wouf ! dit le westie
Si ! Si !

Wouf ! Wouf ! dit le wapiti
Nenni.

Nn Oo Pp Qq Rr Ss Tt Uu Vv Xx
Ww
Wrabit? Wrabit?

Dans les histoires, il y a des **XXX**.

Deux bisous pour dire « Je t'aime »,
ce n'est pas assez...

Six dix dix-huit dix-neuf soixante soixante-dix

et même cent dix...

C'est beaucoup mieux !

Dans les histoires, il y a des **yeux**.

Des yeux bleus couleur de ciel
Youhou !
Des yeux verts couleur de mer
Youhou !
Des yeux gris couleur de pluie
Youhou !
Des yeux jaunes couleur soleil
Youhou !
Des yeux bruns couleur marron
Youhou !
Des yeux noirs couleur du soir

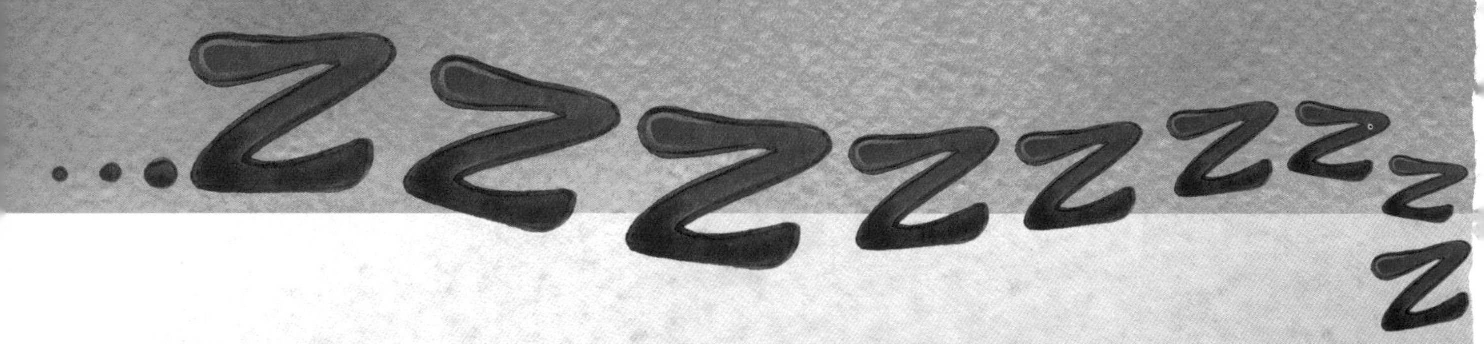

Dans les histoires, il y a des petits **ZOUZOUS** d'amour.

Des petits zouzous d'amour qu'on endort
en zonzonnant... zon... zon... zon...
Des petits zouzous d'amour qu'on endort
en zouzonnant... Zouzou, zouzou, do,
Zouzou, Zouzou, do,
Zouzou... Zou...
ZZZzzzz...